Lieveheersbeestje

Karen Hartley en Chris Macro

Ars Scribendi Uitgeverij

Oorspronkelijke titel Ladybird

Productie De Laude Scriptorum bv, Etten-Leur, NL

Vertaling T. Dijkhof

Zetwerk ROOS dtp-service, Velp (Gld.)

ISBN 978-90-5566-064-3

Voor vragen over de uitgaven van Ars Scribendi bv kunt u zich wenden tot de uitgever: Postbus 628, 4870 AP Etten-Leur, of onze website raadplegen: **www.arsscribendi.com**.
De uitgever houdt zich niet verantwoordelijk voor fouten of misvattingen.

Verantwoording

Alamy Images p. 26 (Elisabeth Coelfen);
Bubbles p. 29 (Thurston);
Bruce Coleman Ltd pp. 25 (D. Austen), 5 (W. Cheng Ward), 13 (J. Grayson), 6, 27 (P.Kaya), 4, 21 (H. Reinhard), 19 (F. Sauer), 12, 28 (K. Taylor); FLPA p. 15 (J. Meul/Foto Natura);
NHPA pp. 8 (S. Dalton), 20 (D. Middleton);
Oxford Scientific Films pp. 17 (P. Franklin), 18 (A. MacEwen), 10, 11 (A. Ramage), 22 (T. Shepherd);
Premaphotos pp. 9, 16, 23, 24 (K. Preston-Mafham);
Science Photo Library p. 7 (J. Burgess).

Foto omslag Corbis (Ralph A. Clevenger).

De uitgevers danken Nancy Harris voor haar hulp bij de totstandkoming van deze uitgave.

Vetgedrukte woorden worden uitgelegd in de woordenlijst op pagina 31.

Inhoud

Wat zijn lieveheersbeestjes?

Lieveheersbeestjes zijn **insecten**. Ze hebben zes pootjes en twee paar vleugels. Ze hebben een rond lichaam, als een bolletje.

Een lieveheersbeestje is een kleine **kever**. De meeste lieveheersbeestjes zijn rood of geel met zwarte stippen. Maar er zijn ook zwarte of bruine lieveheers-beestjes met witte stippen.

Er zijn over de hele wereld heel veel soorten lieveheersbeestjes.
In dit boek kijken we naar de rode lieveheersbeestjes met zwarte stippen.

Lieveheersbeestjes hebben twee ogen waarmee ze omhoog, naar beneden, naar achteren en naar voren kunnen kijken. Ze hebben ook twee **voelsprieten**. En om te bijten hebben ze kaken.

De verschillende soorten
zijn niet allemaal even groot. Het rode lieveheersbeestje met zwarte stippen is ongeveer zo groot als de nagel van je vinger.

Het zestienpunt lieveheersbeestje is veel kleiner. Dit diertje is niet groter dan een speldenknop.

Hoe worden lieveheersbeestjes geboren?

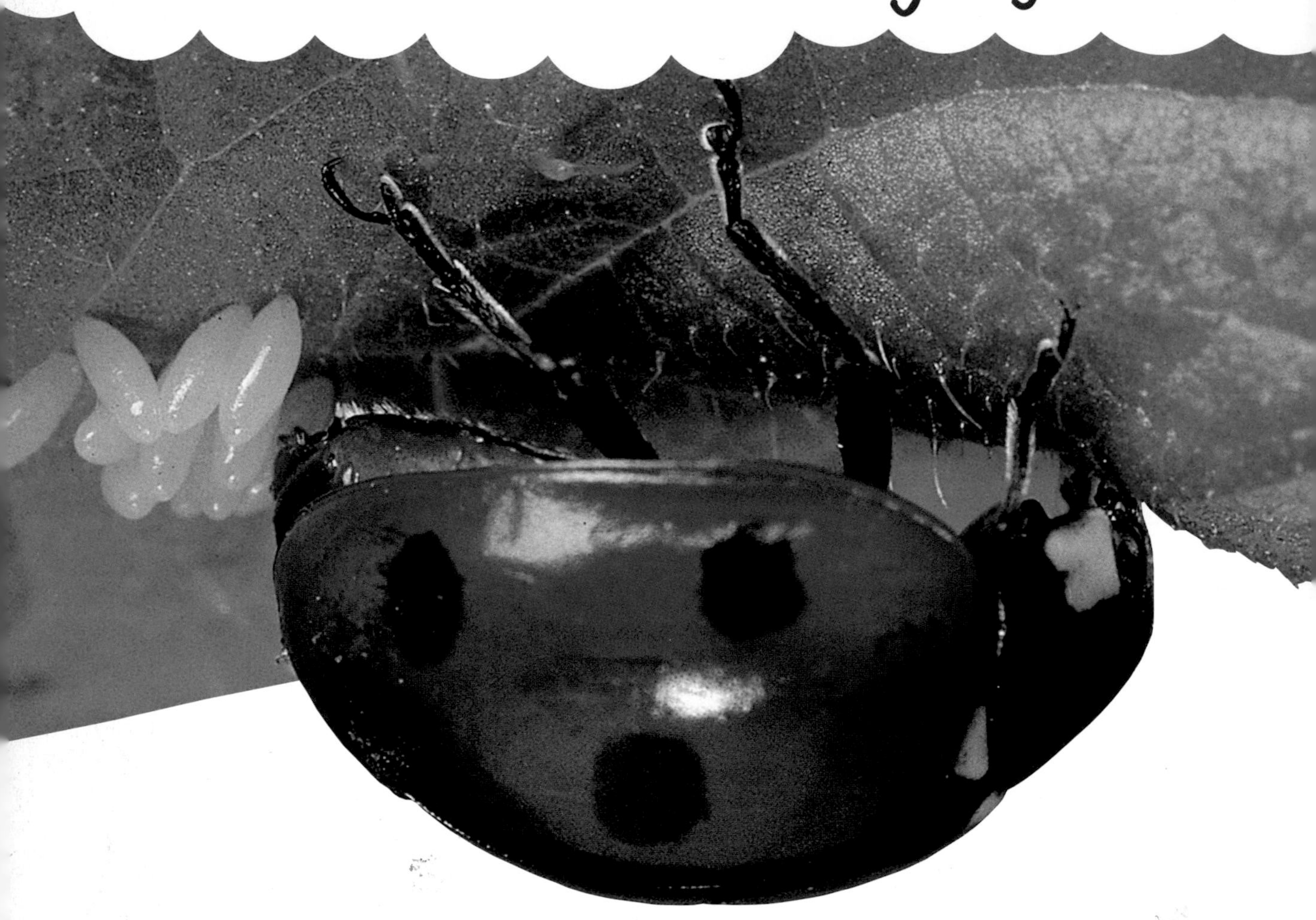

In de lente en in de zomer wordt het warm. De vrouwtjes leggen dan eitjes op de onderkant van bladeren. De eitjes zijn **ovaal** en lichtgeel.

Na vier dagen kruipt er
een baby uit het eitje.
De baby wordt **larve** genoemd.

Nadat de larven uit de eitjes zijn gekropen, groeien ze heel snel. Tijdens het groeien verliezen ze hun huid, maar eronder is een nieuwe huid gegroeid. De larven worden donkerblauw met gele of rode stippen.

Na vier weken beginnen de larven te veranderen. Nu wordt de larve **pop** genoemd. Een week later kruipt er een lieveheers-beestje uit.

Wat eten lieveheerbeestjes?

Er zijn lieveheersbeestjes die bladeren eten. Maar de meeste lieveheersbeestjes eten bladluizen, dit zijn kleine groene beestjes die op planten leven.

Een lieveheersbeestje kan heel wat bladluizen eten.
Ze vangen de bladluizen in hun sterke kaken.

Ook mieren zijn dol op bladluizen.
Soms vallen de mieren lieveheersbeestjes aan. Ze willen niet dat de lieveheersbeestjes van de bladluizen eten.

Er zijn niet veel dieren die lieveheersbeestjes eten. Hun felle kleur schrikt **roofdieren** af, die denken dat ze met hun felle kleur niet lekker smaken. Maar er zijn een paar spinnensoorten die lieveheersbeestjes eten.

Hoe bewegen lieveheersbeestjes?

Lieveheersbeestjes kunnen vliegen.

Al vliegend zoeken ze naar voedsel.

Als ze neerstrijken vouwen ze hun vleugels dicht.

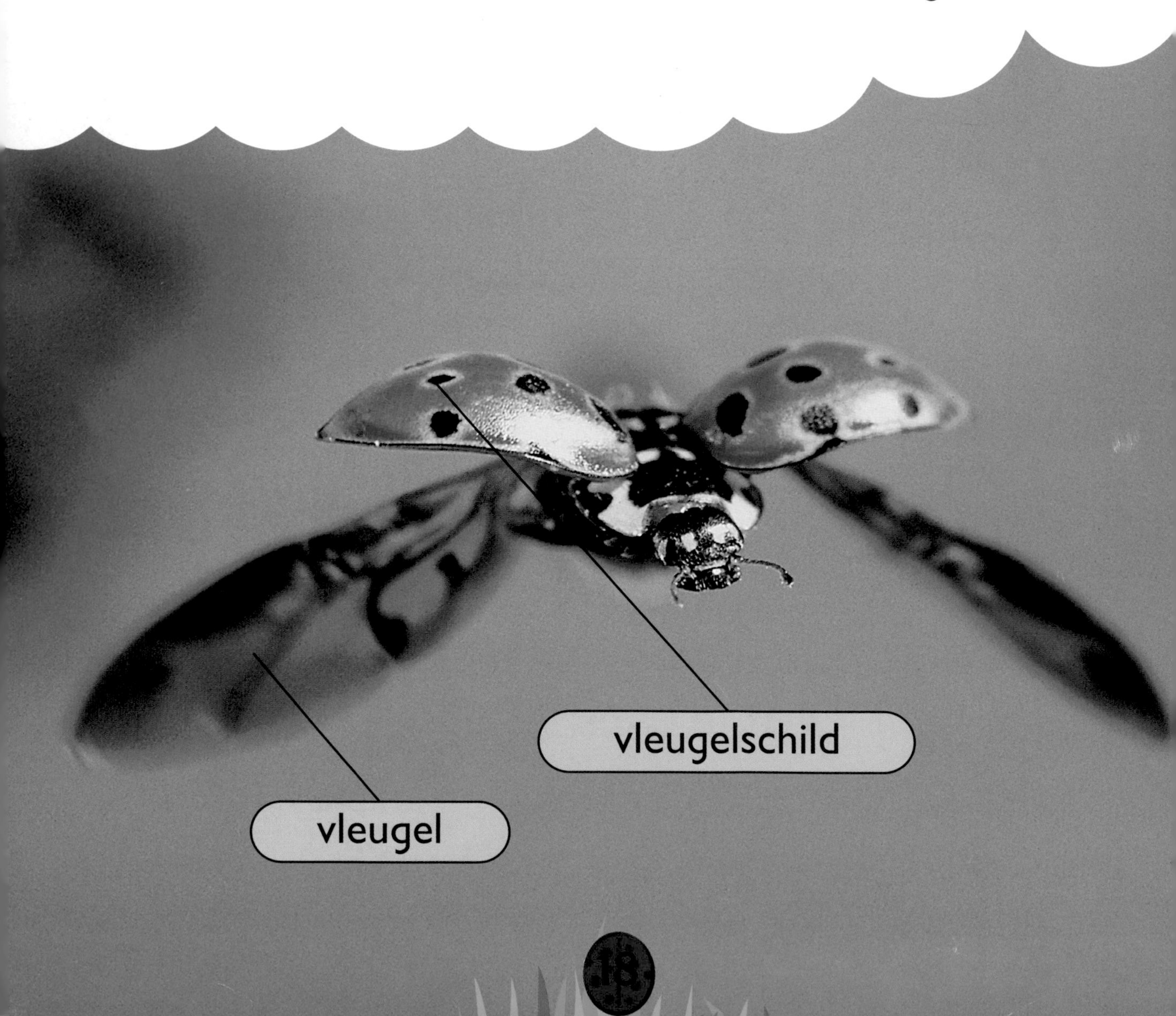

Een lieveheersbeestje kan heel snel kruipen. Hij kan zich goed vasthouden met zijn zes pootjes.

Waar leven lieveheersbeestjes?

Lieveheersbeestjes leven overal waar ze voedsel kunnen vinden.
Ze eten bladluizen die leven op de bladeren en stengels van bloemen.

Overal waar veel bloemen en bomen zijn, kun je lieveheersbeestjes vinden. In de meeste tuinen leven lieveheersbeestjes.

Hoelang leven lieveheersbeestjes?

De meeste lieveheersbeestjes leven een lente, zomer en herfst lang. Veel lieveheersbeestjes gaan dood in de winter.

Lieveheersbeestjes houden niet van de kou. In de winter kruipen ze dicht bij elkaar voor wat warmte. Soms zie je een heleboel lieveheersbeestjes bij elkaar onder een grote steen of op een boomstam.

Zijn mensen blij met lieveheersbeestjes?

Lieveheersbeestjes eten insecten die **schadelijk** zijn voor planten en bloemen in de tuin. Mensen met een tuin vinden het fijn als er lieveheersbeestjes in hun tuin leven die de schadelijke insecten opeten.

Tuinders en boeren laten soms flink wat lieveheersbeestjes los in hun tuinen, **kassen** en **boomgaarden**. De lieveheersbeestjes eten bladluizen en andere insecten die van de bladeren en planten eten.

Mensen vinden lieveheersbeestjes ook leuk omdat ze er zo schattig uitzien. Er worden heel wat siervoorwerpen en speelgoed gemaakt in de vorm van lieveheersbeestjes.

Lieveheersbeestjes zijn heel bijzonder. Ze hebben geen oren, en kunnen dus niet horen. Ze voelen trillingen met hun voeten. Hierdoor weten ze dat er iemand aankomt.

Weet je het nog?

Weet je nog wat er gebeurt met de eitjes van lieveheersbeestjes nadat ze gelegd zijn? Hoe groeien lieveheersbeestjes?

Hoe groot is een lieveheersbeestje?
En wat eten lieveheers-beestjes?

Lieveheersbeestje in kaart

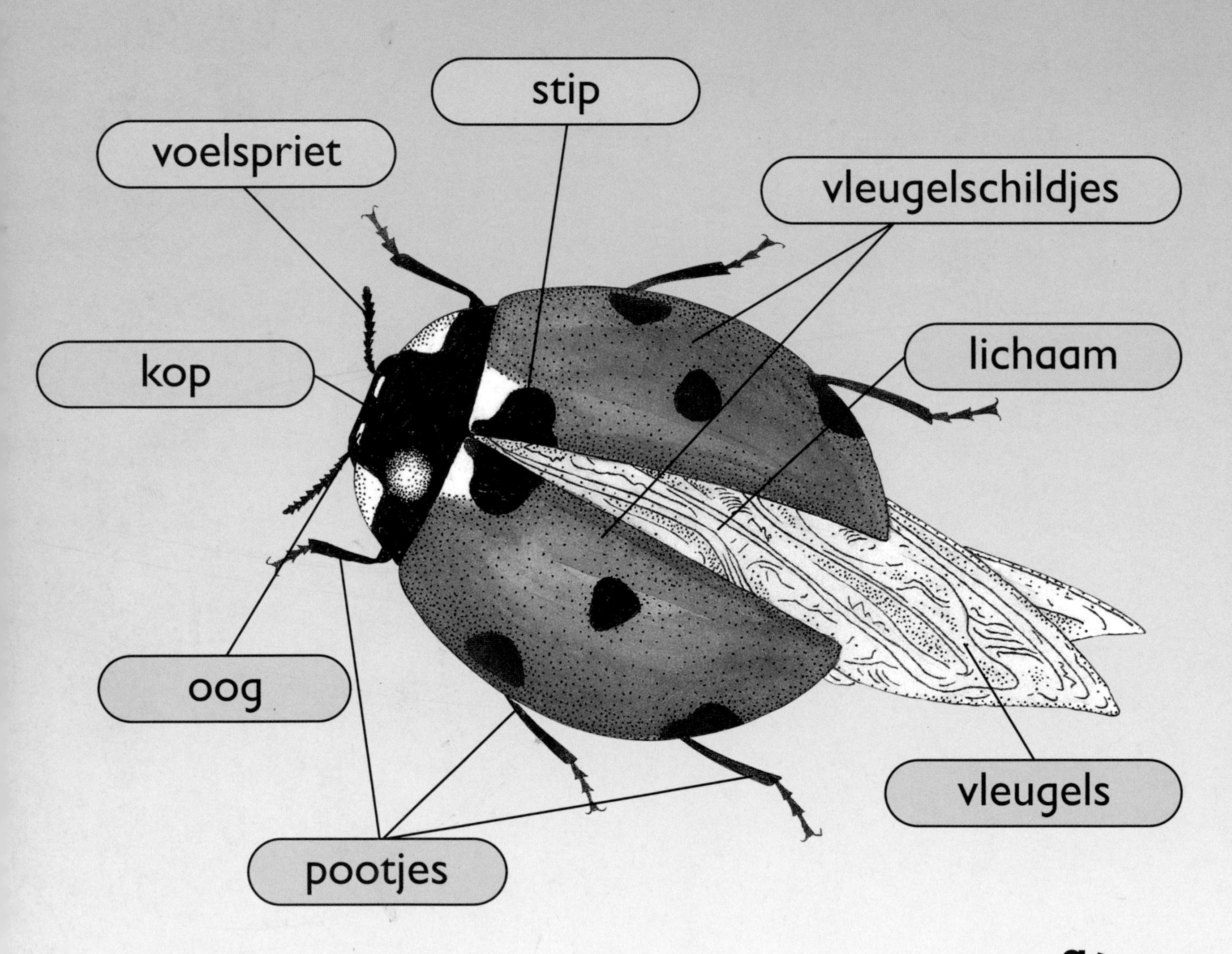

Woordenlijst

boomgaard een tuin of weiland met fruitbomen

insect een insect heeft zes pootjes, en zijn lijf is verdeeld in drie delen: kop, borststuk en achterlijf; de meeste insecten hebben vleugels

kas een glazen huis waarin groenten en bloemen sneller kunnen groeien omdat het er warmer is dan buiten

kever een insect dat harde vleugelschildjes heeft om de vleugels te beschermen

larve de vorm waarin een lieveheersbeestje uit het eitje komt

ovaal een vorm die niet helemaal rond is, zoals bijvoorbeeld een kippenei

pop het omhulsel waarin de larve groot wordt en een lieveheersbeestje wordt

roofdieren dieren die op andere dieren jagen en ze opeten; een lieveheersbeestje is een roofdier voor bladluizen

schadelijk bladluizen zijn schadelijk voor planten omdat ze de bladeren opeten

voelsprieten twee lange dunne buisjes op de kop van een insect, waarmee insecten kunnen ruiken en voelen of horen

Register